냠냠

야, 맛있겠다.

책 발자국 Level 0

냠냠

글 김미혜 그림 차선희

교육공동체벗

선생님과 학부모님께

이 그림책은 초기 문해력 교육을 위한 수준 평정 그림책입니다.
아이의 읽기 행동을 관찰하고 기록한 결과를 바탕으로 아이의 눈높이에 맞는
책을 골라 주세요. 아이 스스로 책을 선택할 수 있게 해 주시면 더 좋아요.
그리고 가정과 학교에서 아이와 함께 안내된 읽기를 해 주세요.
이 책에는 한글의 두 번째 모음 'ㅑ'가 들어간 '냠냠'이라는 낱말이 반복해서 나옵니다.
감탄사 '야'도 나옵니다. 그림책 속 아이들 앞에 놓인 음식의 이름을 말하고 음식 이름에서
같은 소리를 찾을 수 있게 해 주세요. 책을 다 읽고 난 다음에는 아이가 좋아하는
음식 이름을 활용해 끝말잇기 놀이를 해 볼 수 있어요. 음식을 먹는 소리나 모양을
나타내는 여러 낱말을 더 찾아봐도 좋습니다.

사과를 냠냠

과자를 냠냠

자두를 냠냠

두유를 냠냠

냠냠 냠냠냠